CPSIA information can be obtained
at www.ICGtesting.com
Printed in the USA
BVHW050854080223
658122BV00007B/174

9 781732 830059

یادِ رفتہ

(شعری مجموعہ)

قمبر نقوی

انداز پبلیکیشنز

First Paperback Edition: June 2022
Book Name: Yaad-e-Rafta

Category: Poetry
Language: Urdu
Poet: Qambar Naqvi
sqnaqvi1@gmail.com

Publisher: Andaaz Publications
4616 E Jaeger Rd
Phoenix, AZ 85050 USA
Email: admin@andaazpublications.com

Title Cover: Raja Ishaq Asad

ISBN: 978-1-7328300-5-9

انتساب

اِس حقیر کاوش کو منسوب کرنا چاہتا ہوں

اپنے والدین:

سید اختر رضا نقوی

سیدہ معززہ خاتون

اپنے چچا:

سید بہتر رضا نقوی

جنہوں نے مجھے پالا پوسا

اپنے بچوں:

فاطمہ نقوی

بتول نقوی

احمد نقوی اور

علی نقوی

اپنے نواسے دین نقوی

اور نواسی اَمل سائٹس

اور میری اہلیہ

شاہانہ نقوی

کے نام سے

درد جو تُو نے دیا لب پہ نہ آیا وہ کبھی

عمر بھر سچ کو چھپانے کی ریاضت کی ہے

مختصر سوانح

پیدائش:	۲۵ مئی ۱۹۵۸ء بمقام راولپنڈی پاکستان
ابتدائی تعلیم:	فیڈرل پرائمری اور سکینڈری اسکول، ناظم آباد، کراچی
کالج:	دیارام جیٹھ مل سائنس کالج، کراچی
طِبی تعلیم:	ڈاؤ میڈیکل کالج، کراچی
ہجرتِ امریکہ:	۱۹۸۵ء
انٹرنشپ:	کنساس میڈیکل اِسکول، وچیٹا کینساس
سائکاٹری ریسیڈینسی:	ییل یونیورسٹی، نیوہیون، کنیٹی کٹ
پوسٹ ڈاکٹرل چائلڈ سائکاٹری فیلوشپ:	اسٹیٹ یونیورسٹی آف نیویارک، اِسٹونی بروک
ایکس فیکلٹی ممبر:	اِسٹونی بروک یونیورسٹی، لانگ آئلینڈ، نیویارک
رہائش:	لونگ آئلینڈ، نیویارک
مصروفِ کار:	پرائیویٹ پریکٹس

اس شہرِ ابتلا میں تو رہنا محال ہے

جاؤں کہاں نگر نگر ایسا ہی حال ہے

ترتیب

یہ بات بھلا کون اب عیسیٰ کو بتائے

مر جانا ہے آسان پہ جینا کمال ہے

پیش لفظ

خانوادۂ رئیس امروہوی، جون ایلیا، تقی امروہوی اور سید صادقین سے تعلق محض حادثاتی ہے، لیکن فخر کرتا ہُوں اُس زمین کا سپوت ہونے پر۔

شیعہ گھر میں پیدا ہُوا لیکن شیعہ بنایا نہیں گیا، بعد ازاں اپنی پسند سے شیعہ کاموں میں شرکت اور شاعری بھی کی کوئی پندرہ سال، واہ واہ کا عادی رہا لیکن دِل کُچھ اور چاہتا تھا تو مذہبِ انسانیت اختیار کیا اور غزل کے میدان میں قدم رکھا۔ ابتدائی اور واحد شعری اُستاد میرے والدِ مرحوم تھے۔

مُختلف ریاستوں اور ممالک میں اپنا کلام پیش کر چُکا ہُوں۔ گُزشتہ چند برسوں میں ڈاؤ میڈیکل کالج پر لندن سے ایک ڈاکیمینٹری بنی جس کے بیک گراونڈ میں میری نظم ڈاؤ ایک پروفیشنل آواز میں مُنقلب کی گئی، جو کہ میرے لیے سرمایۂ حیات ہے۔ دوگانہ کے جلسوں میں، برطانیہ میں مسلسل نظمیں پیش کر چُکا ہُوں۔ برمنگھم میں دوستوں نے ایک شام میرے ساتھ منانے کا فیصلہ بھی کیا اور دل پسند دوست کافی تعداد میں شریک اور محظوظ ہُوے۔ امریکہ میں کافی جگہوں پر باقاعدہ شامیں منائی گئیں میرے ساتھ۔ ایریزونا اور کینساس خاص طور پر قابلِ ذکر ہیں۔

مُشاعروں سے گُریز کرتا ہُوں لیکن فلاڈیلفیا دوگانہ اور تین سال پہلے ہیوسٹن میں دوگانہ کے مُشاعرے میں مُختصر طور پر شرکت کی، ایک مزاحیہ نظم بھی پیش کی اپنے ڈاؤ کے حوالے سے تو مہمانِ خصوصی جنابہ فہمیدہ ریاض صاحبہ نے مشورہ فرمایا کہ اِتنی سیریس اُردو شاعری کرنے کے بعد مزاح کی کوشش نہ کروں۔

لندن میں فیض میلے میں دو دفعہ شرکت کا حامل رہا، جنابِ افتخار عارف اور دیگر شعرا کے سامنے کلام پڑھنے کا شرف حاصل رہا۔ کووِڈ کے دوران انٹرنیٹ پر ایک عالمی مُشاعرے میں شرکت بھی کی جس کی صدارت افتخار بھائی نے فرمائی تھی۔ سب سے زیادہ فخر اور مزا اپنے دوستوں کی نجی محفلوں میں شعر سرائی میں آتا ہے۔

قمبر نقوی

نیو یارک، امریکہ

اِبتدائیہ

قمبر رضا نقوی میرا ہی نہیں ہزاروں کا دوست ہے اور اپنے کلام کے حوالوں سے لاکھوں سے جُڑ چُکا ہے۔آج جب میں یہ بظاہر چھوٹی سی تعارفی تحریر لکھ رہا ہُوں تو میرے اندر کے حالات اور مُعاملات قمبر کے چند اشعار میں سما جاتے ہیں جو ابھی ابھی موصول ہُوئے ہیں۔ میں اُن کو یہاں اِس لیے نقل کر رہا ہُوں کہ سند رہے کہ یہ آدمی زندہ ہے۔آج دس اپریل دو ہزار بائیس ہے اور پاکستان میں آج کُچھ انہونی ہو گئی ہے اور قمبر تڑپ اُٹھے ہیں۔

چُپ ہو کے سبھی صاحبِ کردار کھڑے ہیں
وہ جن کی بڑی لاٹھی تھی وہ لوگ بڑے ہیں
سچ یہ ہے ، ہمیں مارا ،اناؤں نے ہماری
دُنیا میں ہیں پیچھے، مگر آپس میں لڑے ہیں
جس مُلک سے بھاگ آیا تھا مدّت ہوئی قمبر
اُس مُلک میں اب چار سُو غدار کھڑے ہیں

دراصل قمبر ہجرت کا دُکھ سمیٹے بہتیروں کی طرح زندگی کا سفر طے کر رہے ہیں لیکن کبھی کبھی سب ہی کے زخم کُرید لیتے ہیں:

دیکھیے تو حضرتِ انسان کن حالوں میں ہیں
ہے تماشا ہو رہا، ہم دیکھنے والوں میں ہیں
کم نگاہی، مذہبیت، قومیت اور سرحدیں
جو نظر آتے نہیں ہم بند اُن تالوں میں ہیں

مغربی دُنیا کی ہجرت کھا گئی قمبر ہمیں
نہ ہی گورے ہم ہُوئے، اور نہ ہی ہم کالوں میں ہیں

میں قمبر کے دوستوں کا فقط نمائندہ ہی ہُوں اور یہ تحریر دوستوں کے دوست قمبر رضا نقوی کی شخصیت پر ہے نہ کہ فقط اُن کی شاعری پر۔ اُن کی شاعری اور شخصیت دو الگ الگ اِکائیاں نہیں ہیں بلکہ ایک دوسرے میں سختی سے پیوستہ ہیں۔ قمبر کہتے ہیں:

بیان قِصہٗ غم شعر ہی میں کرتے ہیں
سعادتوں میں سعادت عطا ہوئی ہے ہمیں

یوں تو اِس تعارف کو جو کہ اشاعت کی قید میں آ کر شعری مجموعے کے صفحوں پر محفوظ ہو جائے گا، زمان و مکان سے آزاد ہونا چاہیے تھا کہ کسی بھی دور میں اِس کی افادیت پر حرف نہ آئے۔ مگر قمبر جس چابکدستی سے تغیرات کو اپنا موضوع بناتے ہیں میں اُس سُرعت سے مقابلہ کرتے کرتے کئی مرتبہ ہانپ سا گیا ہُوں۔ میں نے شکایت بھی کی اپنے دوستوں پر اِتنا بوجھ نہ ڈالیں کہ وہ مسکراتے مسکراتے رونے لگ جائیں اور آنسو پونچھتے پونچھتے پھر قہقہہ لگانے کو دِل چاہنے لگے۔
بظاہر ہر وقت ہنسنے ہنسانے والا حساس انسان کہتا ہے کہ:

اِس زندگی کو اِس قدر بھگتا چُکا ہُوں میں
سچ پُوچھیے تو خود سے بھی اُکتا چُکا ہُوں میں

پھر اِس خواہش کا اظہار بھی کرتا ہے کہ:

خواہش ہے آخری کہ نہ خواہش ہو اب کوئی
پانا تھا زندگی میں جو وہ پا چُکا ہُوں میں

دوستوں کے دوست قمبر کو فاصلے سے صرف اور صرف شاعر ماننے کا دِل نہیں چاہتا۔ اِن کی شناخت ہم سب کے لیے ایک ایسے دوست کی ہے جو اپنی حساسیت کی بُنیاد پر آغاز میں صرف دوستوں کی محافل کا شاعر رہا۔ آہستہ آہستہ اشعار میں موجود حرارت کہیں کہیں تپش اختیار کر گئی۔ ہم دوستوں میں

سے کوئی بھی یہ ابتدائیہ لکھ سکتا تھا کیونکہ ہم قمبر کی شاعری کو مروجہ اوزان اور صناعی کے حوالے سے نہیں دیکھتے ہیں، اور نہ ہماری یہ قابلیت یا سند ہے۔ یہ نقادوں کا کام ہے۔ ہم شعر نہیں پڑھتے، ہم تو شعر میں چھپا کربِ آگہی محسوس کرتے ہیں۔ قمبر کی خوشی، غم وغُصہ، جھنجھلاہٹ، چہرے کی مُسکراہٹ، محفلوں کے قہقہے اور اندر ہی اندر سسکتے رہنا، اُن کے اشعار کے ذریعے ہم تک پہنچتا ہے۔

رات دن بس یونہی گزرتے ہیں
ہم نہ جیتے ہیں، اور نہ مرتے ہیں

اور وہ کُچھ اِس طرح سے دوستوں کو سپاس نامہ پیش کرتے ہیں کہ:

صد شکر کہ احباب نے سکھلا دیے ہم کو
مضمون جو مکتب میں پڑھائے نہیں جاتے

پھر خود ہی کہتے ہیں کہ:

ایسا نہیں کہ دوست نہیں تھے ہمارے پاس
دُکھ درد ہی ہمیشہ سے اپنا حبیب تھا

ایک بات جو قمبر نے خود اپنے تعارف میں لکھی ہے، وہ اُن کا ماضی ہے۔ عجیب سی بات ہے کہ مُفلسی، فقر، فاقہ مستی کا عالم اور عِلم کا سمندر ایک ایسے اندازِ روانی میں ساتھ ساتھ بہتے رہے ہیں کہ تکلیف کو شکایت کرنے کا موقع ہی نہیں مِلتا۔ آیئے اب شکوہ ودُکھ سے مُسکراہٹ اور قہقہہ لگانے کا سفر قمبر کے اِن اشعار میں محسوس کیجیے:

ساری دُنیا سے کُچھ خفا سے ہو
تُم بھی کیا کوچۂ وفا سے ہو
شعر لکھتے ہو پر سُنو قمبر
خوش بہت تُم بھی واہ واہ سے ہو

ہم نے قمبر کے دُکھ اور تڑپا دینے والی تشبیہات اور تلخ حقائق کی روشنی میں بھی اُنھیں جانا ہے:

ہمیں تھی آس کہ دُنیا میں امن قائم ہو
محبتوں کا فقط اِک سراب دیکھتے تھے
ہمارے شہر میں سورج نہیں نکلتا تھا
جلا کے گھر میں دِیا، آفتاب دیکھتے تھے

دوست قمبر، دُشمنِ جاں قمبر، فلسفی وصوفی، سیاسی اور نظریاتی مُبصر قمبر، فقیر و مسکین اور عاشق و معشوق، مذہبی اور مجذوب قمبر، اور کئی جہتیں اور پرتیں ہیں اِس آدمی کی جن کو صرف اور صرف اِس کے اشعار پڑھ کر ہی آشکار کیا جا سکتا ہے۔

فلسفی قمبر کا کہنا ہے کہ:

مت پُوچھ اُس کا حال، نہ مجھ کو نڈھال کر
اے دِل جواب جس کا ہو، ایسا سوال کر
تعبیر مل نہ پائی تو پھر کیا کرے گا تُو
کیوں خواب اپنے رکھتا ہے اِتنے سنبھال کر

تو صوفی قمبر بھی انگڑائی لیتا ہے یہ کہہ کر:

عادت ہے مری ایک پُرانی نہیں جاتی
اچھی کسی کی بات ہو مانی نہیں جاتی

سیاسی اور نظریاتی قمبر کو کون نہیں جانتا۔ ظُلم و استبداد کے خلاف فلک شگاف نعرے لگانے والا قمبر شاعری میں بھی اپنے گریبان کے بٹن توڑ دیتا ہے۔

قمبر کا کہنا ہے کہ:

مضبوطیٔ کردار ہے اک قلعہ کی مانند
کمزور علاقوں میں اَنا تعینات ہے
ایک واقعے کے بعد ہُوا اور واقعہ
دو واقعوں کے درمیاں ساری حیات ہے

اَنا کو بالائے طاق تو صرف عشقِ حقیقی ہی رکھ سکتا ہے۔ عاشق مزاج قمبر کہتا ہے:

دِل آپ کو ہی دے دیا ہم نے نکال کر
تعویذِ عشق ہے اسے رکھیے سنبھال کر
دُنیا سے کہہ دیا کہ مجھے تجھ سے پیار ہے
میں نے کمال کر دیا، تُو بھی کمال کر

پھر یوں بھی کہہ دیا کہ:

میں کسی اور کے شمار میں تھا
وہ کسی اور انتظار میں تھا
ہے خزاں چیز کیا پتہ ہی نہیں
میں تو اندھا ہُوا بہار میں تھا

اب سوال یہ پیدا ہوتا ہے کہ اِس شعری مجموعے یادِ رفتہ کی گرفت میں آنے کے بعد اس کے سحر سے کیسے نکلا جائے اور اس تحریر کو پایۂ تکمیل تک بھی پہنچایا جائے۔ میرا قلم سرپٹ دوڑ رہا ہے قمبر کے معنی خیز اشعار کی عرق ریزی کرنے کے لیے۔

بار ہا میں نے اِس کو لکھا کہ تمہارا پیچھا کرنا میرے بس کی بات نہیں ہے۔ تُم جو ایک جگہ ٹھہرتے ہی نہیں ہو۔ کبھی میرا ہاتھ پکڑ کر ماضی کی یادوں سے ہری بھری وادیوں میں دھکیل دیتے ہو تو کبھی آج کی شامِ غریباں میں ہاتھ پیر باندھ کر بٹھا دیتے ہو۔ کبھی کچرہ چُنتے ہُوئے بچے سے متعارف کرواتے ہو تو کبھی گلی میں کھیلتی ہوئی سات سالہ بچی کی گمشدگی کا نوحہ سُناتے ہو۔ کبھی کربلا کا ذکر کرتے ہو تو کراچی سے مِلا دیتے ہو۔ کُفر تولتے ہو تو حیران کر دیتے ہو، عشق کرتے ہو تو رحمٰن مِلا دیتے ہو۔

میں نے کبھی بھی قمبر کی شاعری پر اُن کو داد نہیں دی بلکہ بار بار وہ کہا جس کا مجھے اُن کے شعر پڑھ کر اُس وقت احساس ہُوا کرتا تھا۔ میں کہتا میں تھک گیا ہُوں، میں ہانپ گیا ہُوں، سینے میں خنجر سا گھپ گیا ہے، میرے اوپر سے اپنی گرفت کم کرو کہ میرا دم گُھٹ رہا ہے۔ مگر قمبر لکھتے رہے، بھیجتے رہے اور اب مجموعے کی شکل میں چھپ بھی گئے۔

قارئین سے یہی کہوں گا کہ قمبر کو اگر جانتے نہیں ہیں تو اِن کے اشعار میں اِن کا تعارف دیکھ لیجیے گا۔ یہ اکثر مجھے سونے نہیں دیتا۔ میں بے حِس جب بھی پُرسکون اور لمبی نیند کی تمنّا کرتا ہُوں، یہ اپنے اشعارِ علم و آگہی کی سنگ باری شروع کر دیتا ہے۔ نہ صرف مجھے جگا دیتا ہے بلکہ لہولہان کر کے چھوڑتا ہے۔ اب بھی بضد ہے کہ:

قمبر چلو اب چل کے بیاباں کریں آباد
ہم شہر میں رہ کے بھی تو برباد رہے ہیں

بہت مُبارک ہو قمبر رضا نقوی کہ تُم یہ تازیانے اشعار کی شکل میں لے کر آخر کار میدان میں آ ہی گئے ہو۔ ہم سب کی نیند خراب کرنے کا شُکریہ۔

خلیل اللہ شبلی

دوحہ، قطر

ہمدمِ دیرینہ

ڈی ایم سی، یعنی کہ ڈاؤ میڈیکل کالج یا پھر یوں کہیں کہ ہماری مادرِ علمی جہاں ہم نے نہ صرف مسائلِ طب کو سلجھانے کا علم و ہنر حاصل کیا وہیں ہمارا سماجی ثقافتی اور سیاسی شعور بھی پروان چڑھا۔ بات اگر ثقافت کی ہو اور ڈاؤ کی ادبی خدمات کا تذکرہ نہ ہو یہ ممکن نہ ہوگا۔ ڈی ایم سی کے لٹریری اینڈ ڈبیٹنگ سیکرٹری کے زیرِ نظامت منعقد کردہ محافل، مشاعرے اور مناظرے اس دور کی اہم ترین ادبی شخصیات کے شریک ہونے کے وجہ سے کراچی بھر میں مشہور تھیں۔ مجھے تو ان کے ملک گیر شہرہ ہونے کے بارے میں بھی لکھنے میں کوئی تامل نہیں۔ جہاں یہ محافل فیض، فراز، جون ایلیا، ضیاء محی الدین، ابنِ انشاء اور طارق عزیز صاحبان جیسے قد آور اور اردو ادب کے آسمان کے ستاروں کی شمولیت سے جگمگایا کرتیں، وہیں ان کی تقلید میں ہمارے مادرِ علمی نے خود اپنی ہی کوکھ سے اردو ادب کے سمندر سے کچھ ایسے گواہر کو جنم دیا جنھوں نے نہ صرف اپنے زمانۂ طالب علمی میں ہی اپنے فن سے ڈاؤ والوں کے دلوں پہ راج کرنا شروع کر دیا تھا بلکہ آج تک کر رہے ہیں۔ ان ہی میں سے ایک نام قمبر رضا نقوی کا بھی ہے۔

ڈی ایم سی کی جہاں بہت سی قابلِ تذکرہ روایات تھیں ان ہی ان کہی روایات میں سے ایک یہ بھی تھی کہ سینئر چاہے ایک سال سینئر ہی کیوں نہ ہو اس کا احترام کیا جاتا تھا۔ آپس کے اس احترام کے باوجود بھی ایک کومرائیڈر شپ تھی جس کا اپنا مزا تھا۔ کالج اوقات کے بعد کی محفلوں میں یہ مزہ اور دوبالا ہو جایا کرتا جب ان حضرات کی طبیعت سخن آرائی پر مائل ہوتی۔ کالج لائف میں تو سینئر جونیئر کے رشتے کی جھجک میں اتنا زیادہ ایک دوسرے کو جاننے کا موقع تو نہ مل سکا لیکن وہ جو کہتے ہیں نہ کہ ونس آ ڈاؤائٹ آلویز آ ڈاؤائٹ، امریکہ آنے کے کئی سال بعد جب دوبارہ ملاقات ہوئی تو ایسا لگا کہ برسوں کا یارانہ ہو۔ باقی موقع دوگانا (ڈاؤ گریجویٹس آف نارتھ امریکہ) نے فراہم کر دیا۔ ہم تو

شاید کبر سنی کی طرف مائل ہیں لیکن موصوف کی زندگی کا چرخہ لگتا ہے الٹا چل رہا ہے (ماشاء اللہ)۔ پھر ایسے میں اگر شاعر کو سخن شناس سامعین مل جائیں تو وقت تھم جاتا۔ فیس بک پہ دوستی کیا ہوئی گویا آمد کا ایک نہ ختم ہونے والا سلسلہ شروع ہو گیا۔ بہت سمجھایا کہ حضور سخن کے سیلاب کو بند باندھ ہی دیجئے لیکن مجال ہے جو مان کے دیئے ہوں۔ تقریباً ایک دہائی کے بعد راضی ہوئے تو فرمائش کر دی کہ کتاب پر کچھ خامہ فرسائی کر دو۔ فرمائش چونکہ جگر (جیسا کہ ہمیں بلاتے ہیں) کی تھی اس لئے رد نہ ہو سکی۔

قمبر کی شاعری کا احاطہ کرنا گویا کہ دریا کو کوزے میں بند کرنا ہے۔ ساحر لدھیانوی صاحب نے قتیل شفائی صاحب کی فرمائش پر انتساب کے آخر میں لکھا کہ اور کیا لکھوں کہ تم پاکستان کے ساحر لدھیانوی ہو۔ ہماری یہ جرأت کہاں، پر ہاں یہ ضرور کہہ سکتے ہیں اور کیا لکھوں میرے لیے تم اس دور کے جون ایلیا ہو۔ جون بھائی (جیسا کہ قمبر انہیں بلاتے تھے) رشتے میں قمبر کے چچا ہوتے ہیں۔

حبیب خان ایم ڈی

ایریزونا، امریکہ

آئینہ دار

قمبر رضا نقوی ڈی ایم سی میں ہمارے سینیئر تھے جس کی بنا پر ہم ان کی عزت کیا کرتے تھے۔ خیر عزت تو ہم اب بھی بہت کرتے ہیں، مگر اب اُن کی شاعری کے مدّاح بھی ہیں۔

قمبر کی بڑی humble beginnings ہیں جنھیں اُنھوں نیں slingshot کی طرح یوں استعمال کیا ہے جیسے ایک راکٹ کششِ ثقل سے نکل کر ایک دوسری دنیا کی طرف پرواز کرتا ہے۔ نہ صرف اپنے پروفیشن، بلکہ اپنی شاعری میں بھی اُنھوں نے بلندی حاصل کی ہے۔ قمبر کا کلام پڑھنے کے بعد مجھے احساس ہوا کہ اُن کے کلام کی گہرائی بہت سے mainstream شعرا سے اگر زیادہ نہیں تو کم بھی نہی۔ اُن کا کلام ہر پڑھنے والے کو سوچنے پر مجبور کر دیتا ہے اور سچ تو یہ ہے کہ نہ چاہتے ہوئے بھی، انسان اپنا محاسبہ کرنے لگتا ہے۔ کمبخت جھنجھوڑ دیتا ہے!

قمبر کے دو اشعار جو مجھے بہت پسند ہیں:

بت ہیں باقی بہت اس دل کے صنم خانے میں
تیرے سجدوں سے ابھی بُوئے انا آتی ہے

سُنتا ہوں مُشتِ خاک تھا لیکن خدا بنا رہا
ملنا ہے خاک ہی میں تو اپنی انا مٹا کے جا

قمبر کے مندرجہ بالا اشعار پڑھ کر کون ہے جس کا دل نہ دہل جائے؟ کون ہے جو سوچ میں نہ پڑ جائے؟ کون ہے جس کو آئینہ نہ نظر آئے؟

یہ ہے قمبر کی شاعری کا معیار!

معین مسعود
منیاپولس، امریکہ

تبدیلیاں کچھ ذات کے اندر نہیں کرتے
ہم سوچ کے دریا کو سمندر نہیں کرتے

ہوتا جو یقیں غیروں سے کہہ دو گے ہر اک بات
ہم تم پہ عیاں درد کا دفتر نہیں کرتے

ہوتا ہمیں ادراک اگر اچھے برے کا
خود اپنے ہی حالات کو بدتر نہیں کرتے

گر ہم پہ گراں تیری جفائیں کبھی ہوتیں
کانٹوں سے بھرے خواب کو بستر نہیں کرتے

ہم کیسے صنم کہہ کے پکاریں تمھیں جاناں

ہم اپنے خداؤں کو یوں پتھر نہیں کرتے

سیکھا ہے فقط زیست سے ہم نے یہی قمبرؔ

اس طرح سے برباد کبھی گھر نہیں کرتے

☆

کہیں بساط کہیں زندگی سجا دی گئی
جو حال اچھا ہوا ، بندگی بھلا دی گئی

وہ لوگ اور تھے جن سے وہ ہم کلام رہے
نظر چرا کے ہمیں حیثیت بتا دی گئی

ہر ایک شخص کے آگے جو شمعِ محفل تھی
ہمارے سامنے رکھ کر وہی بجھا دی گئی

بس ایک عشق نے جنت بدر کیا ہم کو
ذرا سے جرم کی کتنی بڑی سزا دی گئی

تھی زندگی مری کانٹوں کی رہگزر قمبرؔ
لحد قبائے گلِ لالہ سے سجا دی گئی

☆

دل میں شہرت کی تمنا اور نہ فکرِ زر رہے

اے خدا مجھ پر کھلا عقل و خرد کا در رہے

نخلِ امیدِ وفا ہم پر رہے سایہ فگن

ضو فشاں علم و ہنر کا ہر شجر ہم پر رہے

ہر عمل ہو بے کسوں کی سربلندی کے لیے

خدمتِ انسانیت میں خم مگر یہ سر رہے

دور تک پھیلے ہوئے ہوں چاہتوں کے سلسلے

اور پھر حدِ نظر تک اک یہی منظر رہے

دل رہے آباد قمبرؔ، عاجزی کے حسن سے

عظمتِ انساں کا یوں ہی موجزن ساگر رہے

☆

وہ جاگتی ہوئی آنکھوں کے خواب کیا جانیں

جو سو رہے ہیں مرا اضطراب کیا جانیں

جو بوند بوند کو ترسے جو تشنہ لب ہی رہے

جو غم نصیب ہیں رنگیں سراب کیا جانیں

وہ جن کے ہاتھ ہیں رنگیں لہو کے دھبوں سے

وہ کم شناس گناہ و ثواب کیا جانیں

جو جی رہے ہوں بنامِ ہوس ہی دنیا میں

وہ کور عقل قلم اور کتاب کیا جانیں

وہ جن کی عمر کٹی خاردار رستوں پر
وہ زندگی سے مہکتے گلاب کیا جانیں

نہ استعارہ نہ حسنِ بیاں نہ رنگِ سخن
ستم طراز غزل کا نصاب کیا جانیں

مجھے پسند حقیقت کی تلخیاں قمبرؔ
میں خواب گر ہوں مگر آں جناب کیا جانیں

☆

ہر لفظ ہے شاہوں کا طرف دار ابھی تک
چھپتا ہے مگر دھوم سے اخبار ابھی تک

جو سچ ہے ابھی جھوٹ کے پردے میں نہاں ہے
خاموش ہے اس شہر میں حق دار ابھی تک

ہر بات جتا دیتا ہے احسان کی صورت
کہنے کو ہے وہ صاحبِ کردار ابھی تک

کس نے کہا مر جائیں تو ہو جاتے ہیں خاموش
ہے جرأتِ اظہار ، سرِ دار ابھی تک

اک طُرفہ تماشا ہے یہ دنیا ابھی قمبرؔ
چاہت ہے کہیں اور کہیں آزار ابھی تک

مجھ سے بچھڑ کے دل کو نہ یوں پُر ملال رکھ

میرا نہیں خیال تو اپنا خیال رکھ

انصاف چاہتا ہے ہر اک لمحۂ حیات

اوجِ کمالِ ذات پہ فکرِ زوال رکھ

خود سے بھی کر کے دیکھ ذرا گفتگو کبھی

اپنے خیال و خواب کے لمحے سنبھال رکھ

روئے جمالِ یار سے ہے بے خودی اگر

کچھ اور تابِ شعلۂ زُہرہ جمال رکھ

ہو گفتگو اذانِ بلالی کا معجزہ
اپنی ہر ایک بات میں ایسا کمال رکھ

لہجہ ترا چٹان کے سینے کو چیر دے
قمبرؔ تو اپنی سوچ اگر بے مثال رکھ

☆

ذرا سی بات بڑھی اور پھر فسانہ ہوا
ہُوا نہ تو میرا دشمن مگر زمانہ ہوا

اے شیخ دل کا ہمارے کمالِ شوق تو دیکھ
اٹھی ذرا سی نظر اور یہ دل نشانہ ہوا

ہماری جرأت و تابِ جمود کیا کہنا
کہ ہاتھ ملتے رہے ، راکھ آشیانہ ہوا

ضمیر جو مرے ہر فیصلے کا رہبر تھا
اسے مرے ہوئے اب تو کوئی زمانہ ہوا

دیا ہے اس کی محبت نے زندگی کا جواز

خدا کا شکر کہ جینے کا کچھ بہانہ ہوا

نظر سے دور ہوا تو بدل گیا قمبرؔ

وہ محفلوں میں ہمارے لیے بُرا نہ ہوا

☆

یوں اپنے عشق ، اپنی وفا پر اڑا ہوں میں
اے دوست آج بھی ترے در پر پڑا ہوں میں

جس میں مرا قبیلہ برابر کا تھا شریک
وہ جنگ ساری عمر اکیلا لڑا   ہوں میں

مجھ پر ٹھہر سکیں گی نہ دنیا کی وحشتیں
دریا میں تیرتا ہوا چکنا گھڑا ہوں میں

اس شوقِ آگہی کا ، تدبّر کا ہو بُرا
آغازِ کم سنی سے ہی گھر کا بڑا ہوں میں

میں جھوٹ بول کر کبھی محفل کی جان تھا

سچ بولنے لگا تو اکیلا کھڑا ہوں میں

مرنے کے بعد دوست یہ لکھنا مزار پر

چلتا تھا جس زمیں پہ اسی میں گڑا ہوں میں

☆

کیسے خطا ہوئی ، کہیں تقصیر کیا ہوئی
میرا وہ خواب کیا ہوا، تعبیر کیا ہوئی

کہتا ہے اپنے آپ کو مسلم تو یہ بتا
تھی گفتگو میں جو کبھی تاثیر کیا ہوئی

وحشت زدہ ہیں کوچہ و بازار کس لیے
شہرِ خیال و خواب کی تعمیر کیا ہوئی

اجداد نے بنایا جسے پیٹ کاٹ کر
علم و خرد کی وہ مری جاگیر کیا ہوئی

قمبرؔ کہاں سے آیا مرے آئینے میں بال
لہجہ مرا ، وہ خوبیء تحریر کیا ہوئی

☆

کہیں بجلی گری ہے ، پھر لُٹا ہے آشیاں کوئی
جلا ہے پھر کہیں جیسے مہکتا گلستاں کوئی

اکیلے ہی اکیلے جی رہے ہیں مر رہے ہیں ہم
کسی کو بھول کر بھی پوچھتا ہے اب کہاں کوئی

مجھے ڈر ہے مری کشتی بھنور میں ڈوب جائے گی
ہوا رُک جا ، ارادوں کا کھلا ہے بادباں کوئی

زمیں پر ہیں کہیں سنگِ ملامت اور کہیں وحشت
خلا سے ڈھونڈ لاتے ہیں چلو اب کہکشاں کوئی

شناسا ہے کوئی چہرہ نہ یہ چرخِ کُہن قمبرؔ
چلو اُس شہر میں اب کے ، ہمارا ہو جہاں کوئی

☆

اگر ہمارا یہ حال ہوتا ، کمال ہوتا

نہ ہم سے کوئی سوال ہوتا ، کمال ہوتا

اگر تجھے میرے عشق پر بھی یقین ہوتا

میں تیرا حُسن و جمال ہوتا ، کمال ہوتا

زمیں کی دھاتیں محبتوں پہ نہ بھاری ہوتیں

زرو جواہر نہ مال ہوتا ، کمال ہوتا

اگر دلوں میں جو نفرتوں کو نہ پالا جاتا

نہ کوئی چہرہ ملال ہوتا ، کمال ہوتا

کوئی قبیلہ نہ کوئی نام و نسب ہی ہوتا

سبھی کو سب کا خیال ہوتا ، کمال ہوتا

اگر نہ ہوتا انا کا بندہ کبھی جو قمبرؔ

نہ تیرا جینا وبال ہوتا ، کمال ہوتا

تصنّع کا دریا چڑھا دیکھتے ہیں
ہم اس دورِ ظلمت میں کیا دیکھتے ہیں

دلوں میں بھری ہے ہوس مال و زر کی
نہیں دیکھتے پر ہوا دیکھتے ہیں

اجل ہے ابھی رقص آراء زمیں پر
ابھی زندگی کو مرا دیکھتے ہیں

زبوں حال ہے تیرے بندوں کی دنیا
یہ کیا ہر طرف اے خدا دیکھتے ہیں

یہ سیلِ بلا خیز ہے جس کی رَو میں

محبت کو دل سے جدا دیکھتے ہیں

ابھی دل میں جذبات باقی ہیں قمبرؔ

ابھی شہرِ دل کو بسا دیکھتے ہیں

پھر سے کوئی لگاؤ ہے ضائع نہ کر اسے

اپنا یہ رکھ رکھاؤ ہے ضائع نہ کر اسے

وہ شعر لکھ جو زندہ رہیں تیرے بعد بھی

یہ سوچ کا چڑھاؤ ہے ضائع نہ کر اسے

دھو بڑھ کے اپنے ہاتھ، غلاظت کو دور کر

گنگا میں جو بہاؤ ہے ضائع نہ کر اسے

ہے دیکھنے میں آگ مگر لالہ زار ہے

جوبن پہ اب الاؤ ہے ضائع نہ کر اسے

اک وقت تھا جوانی کا ہم سے بچھڑ گیا

اس وقت چل چلاؤ ہے ضائع نہ کر اسے

قمبرؔ علاجِ زخمِ جگر سے ملے گا کیا

یہ دوستی کا گھاؤ ہے ضائع نہ کر اسے

☆

ذرا حُسنِ تجدیدِ جاں ڈھونڈیے گا
کہیں کوئی جائے اماں ڈھونڈیے گا

اگر عشق میں ہم گزر جائیں جاں سے
تو مجذوب ہم سا کہاں ڈھونڈیے گا

اگر ان کے جلوے کا سودا ہو سر میں
تو کون و مکاں اور زماں ڈھونڈیے گا

ہجومِ جہاں میں جو خود کھو گیا ہے
کبھی ذات کے درمیاں ڈھونڈیے گا

خرافاتِ دنیا سے فرصت ہو قمبرؔ
تو قدرت کے رازِ نہاں ڈھونڈیے گا

☆

دکھاوے کے تعلق کو بڑھانا چھوڑ دیتے ہیں
جہاں رسمی محبت ہو نبھانا چھوڑ دیتے ہیں

ہمارا دل ہے خالی کھوٹ سے،ہم بھی قلندر ہیں
جہاں سب جھوٹ ہو، ایسا ٹھکانہ چھوڑ دیتے ہیں

ہمارا منصب و مسلک،فقیری ہی امیری ہے
تکلف ہو جہاں،دل کو لگانا چھوڑ دیتے ہیں

متاعِ دوستاں ہے اک طرف اور اک طرف دنیا
ہم اپنے یار کی خاطر خزانہ چھوڑ دیتے ہیں

بہت سے قہقہوں میں رنج بھی ہوتا ہے پوشیدہ

بہت سے لوگ یوں ہی مسکرانا چھوڑ دیتے ہیں

تجارت میں ہمیں اپنی زباں کا پاس ہے قمبرؔ

بناوٹ ہو تو ہم قیمت لگانا چھوڑ دیتے ہیں

☆

اپنے لفظوں کے ابھی تیر و کماں کھینچتا ہوں
میں بھی کچھ دیر قیامت کا سماں کھینچتا ہوں

ساری دنیا میں مرے شعر پڑھے جائیں گے
خاک پر عجز کی مٹی سے نشاں کھینچتا ہوں

تم کو معلوم کہاں میری طبیعت کا کمال
اتنا پیاسا ہوں کہ کانٹوں پہ زباں کھینچتا ہوں

آج کچھ وجد نرالا ہے تو سنیے حضرت
چاند کے ہالے میں اک قوسِ فُغاں کھینچتا ہوں

نقشِ محبوب بناؤں مری اوقات کہاں
میں تو نظروں سے بس اک نقشِ بُتاں کھینچتا ہوں

زندگی ایک ریاضت میں گزاری قمبرؔ
اتنا ماہر ہوں اناؤں کی عناں کھینچتا ہوں

☆

تجھ سے بچھڑے ہوئے لمحوں کے حوالے کردی
ہم نے ہر بات خیالوں کے حوالے کردی

سارے منظر تھے محبت کی نظر میں پنہاں
ہم نے بینائی نظاروں کے حوالے کردی

سونپ دی اپنی محبت بھی زمانے بھر کو
دل کی ہر بات ہزاروں کے حوالے کردی

اپنی مشکل سے نمٹنے کی سعی کی لیکن
تلخیء زیست خداؤں کے حوالے کردی

شعر کہتا ہوں تو قمبرؔ مجھے لگتا ہے یہی
جو خلش دل میں تھی آہوں کے حوالے کردی

☆

جب زندگی کی دوڑ میں پیسہ بنا لیا
افسوس ہر خوشی کو بڑھاپے نے کھا لیا

جب فکرِ مال و زر سے فراغت ہوئی ذرا
ہتھیار کی طرح سے قلم کو اٹھا لیا

ہے فیصلہ سکوں سے گزاروں گا زندگی
جتنا مجھے ستانا تھا تو نے ستا لیا

روٹھا وہ اس طرح سے کہ پھر اُس کے ہاتھ پر
رکھا جو میں نے ہاتھ تو اس نے ہٹا لیا

قمبرؔ عجیب شخص تھا، مجھ سے خفا بھی تھا
لیکن وہ جب ملا تو گلے سے لگا لیا

☆

جس بات کا خطرہ تھا وہی بات ہوئی نا
اشعار مرے پھیل گئے سینہ بہ سینہ

کچھ ہو نہ ہو اک بات یہ معلوم ہے مجھ کو
ہے جرأتِ افکار سے سینہ یہ خزینہ

یہ دوست ہیں جن پر مری ہر بات عیاں ہے
ذہنوں میں بغاوت ہے، خیالات میں کینہ

شکوہ نہیں حالات کی تلخی سے ابھی تک
بنتا ہے تراشے ہوئے پتھر سے نگینہ

اس بات پہ قمبرؔ مرے احباب ہیں حیراں
آتا ہے مجھے بات کو کہنے کا قرینہ

☆

یوں شیخ تیری بات میں اب جان نہیں ہے
ایمان کا پرچار ہے ایمان نہیں ہے

ہندو ہے ، مُسلمان ہے، عیسائی، یہودی
اِنسان ہے سب کُچھ مگر اِنسان نہیں ہے

کچھ رختِ سفر ہے تو فقط جذبۂ تخلیق
اب اِس کے سِوا کوئی بھی سامان نہیں ہے

کچھ دیر ملے تھے کسی انجان کی صورت
بچھڑے ہیں تو مِلنے کا بھی اِمکان نہیں ہے

اک جنسِ محبت ہی میسر نہیں ہم کو
اس شہر میں ورنہ کوئی فُقدان نہیں ہے

اک خوشۂ گندم نے کیا بے سروساماں
ورنہ مری تقدیس پہ بُہتان نہیں ہے

اس دیس کے حاکم کو بھی جینے کا نہیں حق
جس دیس میں خوش دیس کا دہقان نہیں ہے

اِنسان ہوں، اِنسان کا ہمدرد ہُوں قمبرؔ
اب اِس کے سِوا کچھ میری پہچان نہیں ہے

"وہ عشق جو ہم سے روٹھ گیا"

(جناب اطہر نفیس صاحب کی نذر)

وہ لب شیریں وہ آنکھیں کیا، وہ زانو کیا وہ باہیں کیا
جو بچھڑا میت اُس کی خاطر، بھرتے ہی رہو گے آہیں کیا

جب آنکھ کھلی دیکھا ہم نے، کچھ اصل بھی ہے اور کچھ سپنے
دریائے تمنّا بہتا ہے، کیا چھیڑیں ہم اور چاہیں کیا

اس حرص و ہوس کی دنیا میں، خدشات مسلسل تھے دل میں
دنیا سے چھپائیں کیا کیا ہم، اور دنیا کو دکھلائیں کیا

الزام انھیں میں کیسے دوں، کچھ دوش مرا بھی ہے اس میں
دل مدّت سے ویرانہ ہے، وہ اس میں آکے سمائیں کیا

ہاں رات گئے کا وعدہ تھا،تاریکی میں کیا ڈھونڈے گا

شمعیں جل جل کر بجھ بھی گئیں،اب گھر میں آگ لگائیں کیا

کیا فرق پڑے گا قمبرؔ جی، لکھی جو کتھا اک لمبی سی

مقطع کہہ دیں اور سو جائیں،اب دردِ جگر کو بڑھائیں کیا

☆

اَوجِ کمالِ سرِّ نہاں تک نہیں گیا
اے زندگی میں تیرے گُماں تک نہیں گیا

پائی نہ ان سے داد وگرنہ مرا کلام
ایسا نہیں کہ اہلِ زباں تک نہیں گیا

اے ناقدانِ شہرِ سخن تم ہی کچھ کہو
کیوں میرا شعر زورِ بیاں تک نہیں گیا

اس شہرِ پارسا کے ہیں تیور ابھی وہی
ماتھے سے بندگی کا نشاں تک نہیں گیا

گُم ہو گئے نشان جو ماضی کی گرد میں

میں اُن کی جستجو میں کہاں تک نہیں گیا

قمبرؔ ڈرا ہوں ایسا میں اندر کے شور سے

میرا خیال روزنِ جاں تک نہیں گیا

☆

محفل میں سب پہ رکھتے ہو ہم پر نظر نہیں
دیوانے ہم ضرور ہیں پر بے خبر نہیں

اے عشق پھر سے شہر کی رونق بحال کر
کب سے ستونِ دار پہ کوئی بھی سر نہیں

یہ راہِ زندگی کی مسافت عجیب ہے
رستہ طویل ، ہاتھ میں زادِ سفر نہیں

مجھ کو جو اعتبار نہیں اپنی ذات پر
دنیا میں کوئی قول مرا معتبر نہیں

قمبرؔ مری حیات کا کلیہ یہی ہے بس
ہم کیوں کریں وہ بات کہ جس میں اثر نہیں

☆

ناکامیوں کے دور میں اب حوصلہ بڑھائے کون
مائل ہے دل دعا پہ جب ، ہاتھوں کو اب اٹھائے کون

ماتھے پہ سلوٹیں نہیں، یہ زندگی کے رنگ ہیں
چہرے کے خدوخال ہیں، ان کو بھلا مٹائے کون

چارہ گروں کے شہر کی رسمیں پرانی ہوگئیں
اب جو نشان مٹ چکے، پھر سے انھیں بنائے کون

آنکھوں میں ہے انا کی دھول، دل میں بھری ہیں نفرتیں
اب راہ پر نہیں رہے تو راستہ دکھائے کون

اُس کربلا کے بعد اب، کوئی بھی کربلا نہیں
اب جذبۂ حسینؑ سے سر کو بھلا کٹائے کون

مکر و فریب سے بھی اب ، بچنا محال ہوگیا
سیکھے نہ خود کوئی اگر،اس کو بھلا سکھائے کون

گوشہ نشیں ہوا ہوں میں ، قمبؔر یہی تو سوچ کر
اس شہرِ کم چراغ میں پھر سے دیا جلائے کون

رئیس امروہوی کی نذر

کس کو خبر ہے کیسے بسر کررہا ہوں میں
دل کو کباب ، خونِ جگر کررہا ہوں میں

دورِ جدید میں نہیں جینا سزا سے کم
نظارۂ زوالِ بشر کررہا ہوں میں

ارزاں ہے جس میں آج بھی انسان کا لہو
اُس دشت میں اکیلا سفر کررہا ہوں میں

ہرسمت خوں میں ڈوبے ہیں منظر حیات کے
یوں زندگی سے صرفِ نظر کررہا ہوں میں

قمبرؔ مری غزل ہے زمینِ رئیس میں
سیرابیء خیال و نظر کررہا ہوں میں

☆

اے خاک بسر ایک بھی ڈھیلہ نہ ملے گا
پھر کوئی بھی ایسا کبھی میلہ نہ ملے گا

ہر شخص ہی تعبیر میں انسان نما ہے
خوابوں میں ہے جیسا تمھیں ویسا نہ ملے گا

جاتے ہو بڑے شوق سے تم دشت کی جانب
گھبراؤ گے جب شہر کا رستہ نہ ملے گا

مانا کہ کئی لوگوں سے تم ملتے رہو گے
پر چاہنے والا کوئی ہم سا نہ ملے گا

ہوتا ہے خداؤں کو خدائی کا بڑا ساتھ
قمبرؔ کی طرح کوئی اکیلا نہ ملے گا

☆

پردیس میں ہوں اپنے وطن سے جدا ہوں میں

مٹی کا ہو سکا ہوں نہ اپنا رہا ہوں میں

نسلیں ہماری ذات، قبیلے میں گم کہیں

اس شہرِ کم چراغ کا روشن دیا ہوں میں

میری صدا ہے اور سماعت نہیں کوئی

آواز کے ہجوم میں تنہا کھڑا ہوں میں

آنکھوں میں اضطراب ہے پاؤں میں آبلے

اس جلتے ریگزار میں کتنا چلا ہوں میں

قمبرؔ مرا وجود ہے اک بے جہت خیال

لفظوں کی کائنات میں جیسے خلا ہوں میں

☆

ہر سُو ، گلی گلی ، سرِ بازار دیکھنا
ہر شخص اپنے آپ سے بیزار دیکھنا

ماتھے کی سلوٹوں میں ہے آزردگی کا رنگ
ہر شخص کے مزاج میں آزار دیکھنا

میری غزل کے شعر سبھی گنگنائیں گے
ایسا بھی ایک دن مرا شہکار دیکھنا

میں مان لوں اگر کبھی تحسین ایک بار
پھر جھوٹ بات بات میں ہربار دیکھنا

قمبرؔ کھڑا ہوں اپنے سہارے پہ آج بھی
صد شکر زندگی میں نہیں ہار دیکھنا

شعر کہتے ہیں ، تری یاد میں دوہراتے ہیں
اب تو مدت ہوئی دل کو یونہی بہلاتے ہیں

ہونٹ اس بات کو کہتے ہوئے تھراتے ہیں
کتنے انساں یہاں انسان کو کھا جاتے ہیں

جن کی خوشبو سے مہکتا ہے ابھی شہر تمام
آج وہ شہر میں جاتے ہوئے گھبراتے ہیں

جیسے مجبور کے گھر میں کوئی ڈاکہ ڈالے
اس طرح چپکے سے وہ دل میں چلے آتے ہیں

پہلے جن کو کبھی شکوہ تھا مری باتوں سے
جانے اب کیا مرے بارے میں وہ فرماتے ہیں

بات کچھ تو ترے لہجے میں ہے قمبرؔ ایسی
تیری چاہت میں سبھی کھنچتے چلے آتے ہیں

☆

ربط ہی نہیں باقی ، خوف کے اسیروں میں
منقسم ہیں ہم ایسے قوم اور قبیلوں میں

پُختہ کرلیے سب نے ، شہر میں مکاں اپنے
مفلسی بلکتی ہے ، شہر کی فصیلوں میں

جاں لُٹائیں ہم تجھ پر ،وہ بھی ہم نوا تیرے
ہے مشابہت کتنی ، مجھ میں اور رقیبوں میں

چاہتا ہے ہر کوئی پُرسکون سے لمحے
زندگی کی خواہش ہے ، شہر کے مکینوں میں

وصل کا ستارہ تو ماند ہو چکا لیکن
ہجر ہے ترا باقی ، ہاتھ کی لکیروں میں

مال و زر ہیں بے معنی ، عشرتیں نہیں درکار
دشمنی نہیں ہوتی اس لیے فقیروں میں

لوگ گھر سے نکلیں گے ، تیری کھوج میں قمبرؔ
نام تیرا آتا ہے شہر کے طبیبوں میں

☆

کہنے کو بنایا گیا یہ عکسِ خدا ہے
انسان مگر قومی حوالوں میں گھرا ہے

جس ہاتھ میں لاٹھی ہے، تو پھر بھینس اسی کی
کشتی کا بھی مالک ہے وہی جس کی ہوا ہے

زخموں سے بدن چور، گواہی نہیں لیکن
مت پوچھیے یہ سارا سفر کیسے کٹا ہے

گل روز گلستانوں میں کھل جاتا ہے لیکن
صحرا میں اکیلا کوئی اک پھول کھلا ہے

بتلا یہ کہاں جاتا ہے، جلدی ہے کہاں کی
اے شیخ کھلا کیوں یہ ترا بندِ قبا ہے

قمبرؔ کہیں اس شوخ کے ماتھے پہ نہ بل ہو
سہمی ہوئی کچھ روز سے کیوں بادِ صبا ہے

☆

ہم نے سوچا ہے کہ اس طرح بِتا دی جائے
تیری یادوں سے ہراک شام سجا دی جائے

اب تو مشروط اسی سے ہے بقا انساں کی
نفرت و بغض کی دیوار گرا دی جائے

آپ اس وقت بھی آئینہ مگن رہیے گا
جب مجھے جُرمِ محبت کی سزا دی جائے

حکمرانوں کا ہمیشہ سے ہے منشور یہی
بات سچی ہوتو فوراً ہی دبا دی جائے

کیا عجب رسم چلی ہے یہاں اب کے قمبرؔ
خم نہ ہوتی ہو جو گردن وہ اُڑا دی جائے

☆

خود فریبی کی انتہا ہوں میں
آدمی ہوں کبھی خدا ہوں میں

خود کو بھی میں سمجھ نہیں پایا
کتنا الجھا معاملہ ہوں میں

ہم سفر ہو نہ ہو کوئی میرا
ذات میں ایک قافلہ ہوں میں

بِن لڑے کیسے ہار جاؤں میں
جانے کتنوں کا حوصلہ ہوں میں

اب بجھوں گا نہ میں ہواؤں سے

بعد مدت کے اب جلا ہوں میں

مرگِ انساں ہے یہ انا قمبرؔ

جیت کر بھی ڈرا ہوا ہوں میں

☆

جو ظلم کر رہا ہے اسے ٹوکتے نہیں
ہم جُرم دیکھتے ہیں مگر بولتے نہیں

حائل ہیں راستے میں ہمارے بھی کچھ اصول
رسم و رواج و دیں کے سوا سوچتے نہیں

قدرت کے کارخانۂ ازلی میں بے مثال
جو راز ہیں نہاں انھیں ہم کھولتے نہیں

اپنی بلا سے آگ میں جلتا رہے کوئی
ہم سوختہ مزاج کو جھنجوڑتے نہیں

قمبرؔ جو آج ہم ہیں، اُسی کے کرم سے ہیں
ہم سچ کے راستے کو کبھی چھوڑتے نہیں

☆

کوئی ہوس ہے نہ مال و متاع یہاں کے لیے
نہیں بنایا گیا ہوں میں اس جہاں کے لیے

وہ اپنا رحم و کرم کس جگہ پہ برسائے
زمین باقی نہیں کوئی آسماں کے لیے

بنانا ہوتا ہے دنیا میں ایک گھر لیکن
تڑپتا رہتا ہے انسان اک مکاں کے لیے

انھی کے خواب سے جلتے ہیں زندگی کے چراغ
اٹھے ہیں ہاتھ دعاؤں کے رفتگاں کے لیے

الگ تھلگ جو کھڑا ہوں ہجومِ نفرت سے

میں منتظر ہوں محبت کے کارواں کے لیے

دعائیں کرتا ہوں احباب کے لیے قمبرؔ

سراپا عجز ہیں جو مجھ سے کج بیاں کے لیے

☆

تیری یادوں سے سنور جاتا ہے رفتہ رفتہ

دن ہمارا بھی گزر جاتا ہے رفتہ رفتہ

کوئی احساسِ ندامت نہ رہے جب دل میں

جیتے جی آدمی مر جاتا ہے رفتہ رفتہ

دوستوں کو یہی تاکید کیا کرتا ہوں

زخم جیسا بھی ہو بھر جاتا ہے رفتہ رفتہ

زندگی موت سے مل جاتی ہے ہوتے ہوتے

وقت آتا ہے گزر جاتا ہے رفتہ رفتہ

حد سے بڑھ جاتی ہے جب سہل پسندی قمبرؔ

شہرِ تہذیب بکھر جاتا ہے رفتہ رفتہ

☆

کوئی منزل ہے نہ اب زادِ سفر رکھتے ہیں
ہم ارادوں کو جواں اپنے مگر رکھتے ہیں

ہم کو معلوم ہے دن رات کی سب جادوگری
شام ہوتی ہے تو آنکھوں میں سحر رکھتے ہیں

زندگی میں ہے جنھیں صبر و رضا کی عادت
اپنی محنت کا وہی لوگ ثمر رکھتے ہیں

کیوں بہت جلد بدلتے ہیں ٹھکانے اپنے
ایک مدت سے مرے دل میں جو گھر رکھتے ہیں

ان کو ہم سے جو شکایت ہے فقط اتنی ہے

وہ طبیعت میں بہت مدو جزر رکھتے ہیں

جو ہیں مجذوب عیاں ان پہ ہے سب کچھ قمبرؔ

ہو کے مدہوش بھی دنیا کی خبر رکھتے ہیں

☆

فکر کا اژدہام ہوتا ہے
پھر کہیں کچھ کلام ہوتا ہے

بے رُخی ، بے وفائی ، تنہائی
عشق یوں ہی تمام ہوتا ہے

بات دنیا میں پھیل جاتی ہے
جب بھی خود سے کلام ہوتا ہے

پہلے پردے میں تھے گناہ سبھی
اب تو سب کچھ ہی عام ہوتا ہے

بات بنتی ہے وقت پر قمبرؔ
ہوتے ہوتے ہی کام ہوتا ہے

☆

مذہب کا کبھی قوم ، کبھی ذات کا جھگڑا
انسانوں میں ہوتا رہا ہر بات کا جھگڑا

انساں کو لڑاتی رہی انساں کی ضرورت
زن زر کا ، زمیں کا کبھی باغات کا جھگڑا

انسان کی فطرت میں ہے تفریق ازل سے
سوچوں کا ، خیالات ، نظریات کا جھگڑا

ہر شخص تضادات کی زد میں ہے ابھی تک
ہر شہر میں اب تک ہے مفادات کا جھگڑا

قمبرؔ مری فطرت میں نہیں تلخ نوائی
ڈرتا ہوں کہ ہو جائے نہ بے بات کا جھگڑا

☆

جو قوم اپنے خسارے پہ رو نہیں سکتی
وہ اپنا داغِ ندامت بھی دھو نہیں سکتی

وہ میرے نقشِ قدم پر چلے گا کیوں آخر
کہ میری راہ کبھی اُس کی ہو نہیں سکتی

وہ قوم کاٹے گی اپنے سروں کی فصل کبھی
جو بیج امن کے مٹی میں بو نہیں سکتی

مرا نصیب مرے ہاتھ کا ستارہ ہے
ملی ہے مجھ کو جو عزت وہ کھو نہیں سکتی

میں ایسی قوم کا اک فرد ہوں یہاں قمبرؔ
جو اپنے اشک سے دامن بھگو نہیں سکتی

☆

زندگی یوں گزارنی ہوگی
جیتی بازی بھی ہارنی ہوگی

مر گیا ہے ضمیر دنیا کا
روح مُردے میں ڈالنی ہوگی

ساحلوں کی تلاش میں ، کشتی
پانیوں میں اتارنی ہوگی

روبرو حُسنِ نغمہ گر ہو گا
ہر طرف جیسے چاندنی ہوگی

دوست قمبرؔ کو گر بنایا ہے
پھر مصیبت تو پالنی ہوگی

☆

مجبور نہیں ہوتا کوئی ، مجبور بنائے جاتے ہیں
دستور نہیں ہوتے کچھ بھی ، دستور بنائے جاتے ہیں

یہ نسل،قبیلہ اور رنگت،انسان مقیّد ہے جن میں
جب سوچ پہ پہرے لگتے ہیں،محصور بنائے جاتے ہیں

میں اپنی سوچ کے دھارے کو، بدلوں گا تو کیا مر جاؤں گا
ہم سوچ کے قبرستانوں میں مقبور بنائے جاتے ہیں

فی الحال کا حال ہی مت پوچھو،ہم بھول گئے تاریخ اپنی
چیونٹی سے سبق لے لینے پر،تیمور بنائے جاتے ہیں

اب سوچ رہا ہوں میں قمبرؔ،قیدی نہ بنوں گا سوچ کا میں
جب سوچ کو آزادی دے دیں،منصور بنائے جاتے ہیں

☆

صدقۂ یار ہوتے جاتے ہیں
رونقِ دار ہوتے جاتے ہیں

حالِ انساں سنا رہا ہوں میں
دوست اغیار ہوتے جاتے ہیں

شاعری ، لفظ اور یہ گویائی
میرے ہتھیار ہوتے جاتے ہیں

جو سمجھتے رہے خدا خود کو
جھوٹے کردار ہوتے جاتے ہیں

تلخ باتیں نہ اب کرو قمبرؔ
لوگ بیزار ہوتے جاتے ہیں

☆

میں بھی شامل ہوا اغیار میں کیا

یہ خبر چھپ گئی اخبار میں کیا

تیرا چہرہ ہے مرے چار طرف

بس گیا روزن و دیوار میں کیا

عشق کرنا ہے مری فطرت میں

میں مروں گا اسی آزار میں کیا

مان لیتے ہو جو کہہ دیتا ہوں

لطف آنے لگا اقرار میں کیا

گھر میں کھانے کو نہیں کچھ قمبرؔ

شعر بک جائیں گے بازار میں کیا

یادِ رفتہ

☆

کاندھے پہ اک صلیب سجا کر چلے ہیں ہم
یوں مشتِ خاک تجھ کو اٹھا کر چلے ہیں ہم

کچھ اور تو نہ ہوسکا بازارِ عشق میں
جتنے لیے تھے قرض ، ادا کر چلے ہیں ہم

اچھے برے ہیں جو بھی ہیں بندے ہیں ہم ترے
یہ فخر ہے کہ تجھ کو خدا کر چلے ہیں ہم

اے شیخ تجھ کو وعدۂ جنت کا انتظار
دنیا میں جس قدر تھا مزا کر چلے ہیں ہم

قمبرؔ خدا کا شکر ہے ، اتنا تو ہوگیا
خاموشیوں میں ایک صدا کر چلے ہیں ہم

آگ بھر دی ہے کسی نے مرے پیمانے میں
کیا نیا آیا ہے ساقی کوئی مے خانے میں

دیکھ کر جن کو کہیں کھو گئی ہے قوسِ قزح
رنگ وہ بھر دیے تُو نے میرے افسانے میں

کیا بگاڑا ہے زمانے کا بتاؤ تو سہی
عیب کیوں ڈھونڈتے ہیں وہ ترے دیوانے میں

زخم تو اور بھی ہیں ، زخمِ جدائی گہرا
عمر لگ جائے گی اس زخم کے بھر جانے میں

رنج تم کوئی اٹھاؤ تو سمجھ پاؤ گے
کیا کہیں کیسا مزا آتا ہے غم کھانے میں

واسطہ جن کو نہیں گھر کے سکوں سے قمبرؔ
عُذر لاکھوں کیا کرتے ہیں وہ گھر جانے میں

☆

وہ جن پہ ڈال دی تو نے نظر، غزل ٹھہرے
میں تیری شانِ تغافل کا مرثیہ ٹھہرا

کتابِ زندگی تیری بہت ضخیم رہی
ترے ورق پہ میں اک حرفِ حاشیہ ٹھہرا

سنا ہے چاروں طرف رقّتوں کا عالم تھا
ہماری لاش پہ جب تیرا قافلہ ٹھہرا

☆

ہمت اگر ہے تیری تو محفل سجا کے پی
یا اندرونِ ذات کی نگری میں جا کے پی

تجھ پر کھلیں گے شہرِ محبت کے راز بھی
آنکھوں سے نفرتوں کے یہ پردے ہٹا کے پی

سنتے ہیں لطف اور ہی دو آتشہ کا ہے
جاناں کے غم میں اب غمِ دوراں ملا کے پی

غیروں کے ہاتھ سے نہیں پینے کا کچھ مزا
خود اپنے ہاتھ سے کوئی ساغر بنا کے پی

مانا کہ گھونٹ گھونٹ میں ہے موت کا مزا

جامِ غمِ حیات ذرا مسکرا کے پی

قسمت سے گر ملی تجھے قمبرؔ تو مت چھپا

اپنی نظر کسی کی نظر سے ملا کے پی

☆

اپنی نظر ہجومِ ریا سے بچا کے دیکھ
اس شہرِ بے ثبات میں ہستی مٹا کے دیکھ

بڑھ جائے خود بخود ترے اندر کی روشنی
باہر کے سب چراغ کسی دن بجھا کے دیکھ

کشتی کے بادباں کو جھکانے کے باوجود
انداز ، حوصلے ذرا چڑھتی ہوا کے دیکھ

پانی سے دوستی ہے تو پھر یوں بھی ہو کبھی
ساحل پہ ریت کا کوئی گھر تو بنا کے دیکھ

باہر سے دیکھنے کی ضرورت نہیں تجھے
قمبرؔ درونِ خانۂ دل بھی سما کے دیکھ

☆

نفرت کے اگر بیج یوں ہی بوتے رہیں گے
لگتا ہے کہ ہم لوگ جدا ہوتے رہیں گے

چل پائے نہ گر وقت کی رفتار سے ہم لوگ
خود اپنے ہی حالات پہ ہم روتے رہیں گے

ممکن نہیں دُھل پائے گا بے کاری کا یہ داغ
سو بار بھی دامن کو اگر دھوتے رہیں گے

اپنا نہ سکے گر کوئی محتاط رویہ
تا عمر یوں ہی حادثے پھر ہوتے رہیں گے

نقارے بجیں ، شور اٹھے جتنا بھی قمبرؔ
جو غافل و مدہوش ہیں وہ سوتے رہیں گے

☆

جتنی میری شان بڑھی ہے، میں اس کا حق دار نہیں
جتنی عزت مجھ کو ملی ہے، میں اس کا حق دار نہیں

کب سے آس بندھی تھی میری، کب سے تھی امیدِ کرم
اب جو میری بات بنی ہے، میں اس کا حق دار نہیں

دیر ہوئی کہ عجز و ادب سے ریزہ ریزہ سجدے میں
سامنے اب جو حرفِ جلی ہے، میں اس کا حق دار نہیں

یاروں نے کی مدح سرائی، خوب میری تحسین ہوئی
اب جو میرا قلب قوی ہے، میں اس کا حق دار نہیں

پچھلے کچھ سالوں میں قمبرؔ، غیروں کی اور اپنوں کی
نظرِ کرم جو مجھ پہ ہوئی ہے، میں اس کا حق دار نہیں

☆

میں نے دل کا اسے مکیں سمجھا

کچھ نہ لیکن وہ ہم نشیں سمجھا

ظلم جو اس نے مجھ پہ ڈھائے ہیں

میں اسے طرزِ نازنیں سمجھا

زندگی سے یہی سمجھ پایا

عشق کو فرضِ اولیں سمجھا

تم مجھے کیوں سمجھ نہیں پائے

میں تو اس بات کو نہیں سمجھا

جب سے دیکھا ہے تیرا نقشِ قدم

کہکشاؤں کو میں زمیں سمجھا

عشق نے کردیا مجھے اندھا

میں محبت کو کیوں نہیں سمجھا

یہ مرا المیہ رہا قمبرؔ

بے یقینی کو میں یقیں سمجھا

☆

جھوٹ اور نفرت کے سلسلے نہیں رہتے
پیار میں تکلف کے فلسفے نہیں رہتے

آپ سچ اگر بولیں لوگ روٹھ جاتے ہیں
آپ کے جو ہوتے ہیں، آپ کے نہیں رہتے

عقل کے چرندوں کو بات یہ نہیں معلوم
روز حادثے ہوں تو حادثے نہیں رہتے

دشت کی تپش کو بھی تب شکست ہوتی ہے
جب کسی کے پاؤں میں آبلے نہیں رہتے

باخدا وہی تو بس اڑنے لگتا ہے قمبرؔ
جس کے سامنے کوئی راستے نہیں رہتے

☆

عمر گزری جو بات کہنے میں
ہو گئی آنسوؤں کے بہنے میں

دیر سے آئے اور جلدی گئے
کیا بگڑ جاتا رات رہنے میں

ہاتھ اس نے کسی کو دے بھی دیا
دیر کردی جو ہم نے کہنے میں

آپ اس کو سمجھ نہ پائیں گے
وہ مزا ، ہے جو درد سہنے میں

لوگ کیا کیا کہیں گے میرے لیے
تم نہ آنا کسی کے کہنے میں

زندگی پر وہی ہے بس میرا
جو ہے دریا کو اپنے بہنے میں

اس کا اچھا نصیب تھا قمبرؔ
جو لگا پھول اس کے گہنے میں

☆

یاد ہم کیا کیا دلائیں چھوڑیے
آپ ہم کو بھول جائیں ، چھوڑیے

آپ خوشیاں بانٹیے ، ہم پر مگر
ڈالیے ساری بلائیں ، چھوڑیے

کیا کروں گا ان کا میں تنہائی میں
آپ رکھ لیجے وفائیں ، چھوڑیے

دل لبھا کر مار ڈالیں گی ہمیں
ہوسکے تو یہ ادائیں چھوڑیے

روز ہی لکھتا ہے قمبرؔ داد کیا
انگلیاں کیسے ہلائیں ، چھوڑیے

☆

ساقیا تصویر رقصاں جو ابھی ساغر میں ہے
کیا ابھی کوئی گماں اس عکسِ فتنہ گر میں ہے

محفلوں میں داد پانے سے مجھے فرصت نہیں
تین دن کا جشنِ فاقہ آج میرے گھر میں ہے

ہم نظر سے گر گئے، وہ بھی شکستہ حال ہے
ایک منظر ٹوٹتے احساس کے منظر میں ہے

گر دماغِ صحبتِ اہلِ خرد باقی نہیں
عظمتِ رفتہ کا سودا کیوں ہمارے سر میں ہے

آج بھی قائم ہے قمبرؔ اہتمامِ زندگی
اک روانی آج بھی دنیا کے بحر و بر میں ہے

☆

طلوعِ نور تھا، گردش سے ڈھل گیا ہوں میں
کہ رفتہ رفتہ بروئے اجل گیا ہوں میں

کسی نے کی ہے مری عمر بھر مسیحائی
میں لڑکھڑایا ہوں لیکن سنبھل گیا ہوں میں

گزر رہے ہیں سبھی لوگ مجھ سے بچ بچ کر
غموں کی دھوپ سے ایسا پگھل گیا ہوں میں

ابھی تلک ہیں ستارے مرے تعاقب میں
کہ جیسے وقت سے آگے نکل گیا ہوں میں

جنھیں تھی فکر کہ ہوجاؤں میں بڑا قمبرؔ
وہ کہہ رہے ہیں کہ یکسر بدل گیا ہوں میں

☆

هر ایک آنکھ میں حزن و ملال رکھا ہے
مرا جگر ہے کہ خود کو سنبھال رکھا ہے

بکھرنے والے تھے رشتوں کے سلسلے جو کبھی
خدا کا شکر کہ ان کو بحال رکھا ہے

بچھا رہا ہوں میں پلکیں کسی کے رستے پر
کسی کے سامنے دل کو نکال رکھا ہے

اب اس کے بعد ستارے ہیں رہ گزر میری
اڑان کو سرِ اوجِ کمال رکھا ہے

دراز دستِ طلب کیوں کروں میں اب قمبرؔ
کہ میرے گھر میں ضرورت کا مال رکھا ہے

☆

کوئی خیالِ غیر نہ جملے ادھار کے
رکھتا ہوں اپنی سوچ بنا کے ، سنوار کے

ملتا ہے موسموں سے بھی انسان کا مزاج
کچھ دن خزاں کے ہوتے ہیں کچھ دن بہار کے

ہم سر کے بل نہ چل کے اگر آسکیں تو جھوٹ
اے جانِ جاں تو دیکھ ہمیں بھی پکار کے

منھ پر کہوں تو دوست مرا ساتھ چھوڑ دیں
ہیں شعر آئینہ مرے دل کے غبار کے

لکھتا زبانِ غیر میں باتیں اگر یہی
قمبرؔ ہمارے شعر بھی ہوتے شمار کے

☆

دل کے قریب رہتے ہو دیوار و در سے دور
اہلِ نظر بھی رہتے ہیں اہلِ نظر سے دور

ہر گھر کہاں ہے گوشہء تسکینِ قلب و جاں
کچھ لوگ گھر میں رہ کے بھی ہوتے ہیں گھر سے دور

ایسا نہ ہو اڑان کے قابل نہ تم رہو
نفرت کی قینچیوں کو رکھو بال و پر سے دور

رہتے ہیں اشک آنکھ سے جاری جب آدمی
ہوتا ہے گھر کے سایۂ دیوار و در سے دور

قمبرؔ بکھر گئی ہے محبت کی گفتگو
الفاظ کا بہاؤ ہے زیر و زبر سے دور

☆

وہ چلا تھا ساتھ میرے دو قدم
کہہ رہا ہوں جس کو اب بھی محترم

وقتِ رخصت آنکھ بھر آئی مری
رک گئے چلتے ہوئے میرے قدم

حکم تیرا اور میری بندگی
اے خدا میرا سرِ تسلیم خم

نا مکمل ہے ابھی حسنِ جہاں
ہے صدائے کن فکاں ہی دم بہ دم

لاکھ قمبرؔ شاعری کرتا رہے
تیرا میرا حال ہو کیسے رقم

☆

کام ہم نے بس یہی شب بھر کیا
احترامِ ساقی و ساغر کیا

بے وفائی ہم سے کیا کرتا کوئی
ہم نے خود ہی اپنا دامن تر کیا

ہے تاسّف کیا، ہمیں معلوم کیا
بحر کو اس شان سے ہے بر کیا

اس قدر کچھ بھا گئیں تنہائیاں
دشت کو ہی ہم نے اپنا گھر کیا

زندگی سے اور کیا ہم چاہتے
تیری چاہت کو ہی بس محور کیا

خود پہاڑوں نے کیا تھا ہم پہ ناز
چوٹیوں کو ایسے ہم نے سر کیا

بے یقینی میری قمبرؔ دیکھیے
فیض نے اس کے مجھے مضطر کیا

☆

ناخدا کو خدا بنائے کون

جا بجا سر کو اب جھکائے کون

تو ہی رکھتا تھا ایک ہمت بس

اب مجھے اور آزمائے کون

اک بگولا ہوں آگ کا میں بھی

خاک میں اب مجھے دبائے کون

راہبر بدگماں ہوئے مجھ سے

اب مجھے راستہ دکھائے کون

حرف قاتل سہی ترے قمبرؔ

بے وفا کو مگر رلائے کون

☆

شہر کا شہر ہی پتلی کا تماشا نکلا
سارے کرداروں کے سر پر بندھا دھاگہ نکلا

سائے قد سے بھی بڑے ہو گئے جب دھوپ ڈھلی
جو بھی پورا نظر آیا وہی آدھا نکلا

ہم اگر تھے تو سبھی جھک کے ملا کرتے تھے
ہم جو کھوئے نہ کوئی ڈھونڈنے والا نکلا

نوچ کے دیکھی جو چہرے سے کبھی جھوٹی ہنسی
ہم نے جس شخص کو دیکھا وہی تنہا نکلا

یہ محبت بھی کوئی جھوٹی کہانی نکلی
مقصدِ زیست بھی مبہم سا ارادہ نکلا

آئینے میں جو کبھی دیکھی ہے صورت قمبرؔ
میرا پیکر ترے ہونے کا حوالہ نکلا

☆

ایک ہم ہی نہیں مصروفِ فغاں اور بھی ہیں
شہرِ خوباں میں ابھی رنجِ بیاں اور بھی ہیں

تم اگر چپ ہو زباں پر نہیں دل کی باتیں
ضبط آمادہ و خاموش زباں اور بھی ہیں

ڈوب کر آنکھ کی جھیلوں میں یہ دیکھا ہم نے
وائے افسوس گرفتارِ مژاں اور بھی ہیں

تیری آنکھوں کے سمندر ہی نہیں خیرہ کناں
تیری عادات میں کچھ تیرو سناں اور بھی ہیں

ایک میرا ہی نہیں گھر کہ اداسی ہے جہاں
اے مرے شہر، اداسی کے مکاں اور بھی ہیں

☆

وہ کہ آدابِ زباں کو بھی زباں سمجھے ہیں
ہم خموشی کو بھی اک طرزِ فغاں سمجھے ہیں

ہم جو تقسیم ہیں فرقوں میں، طریقت میں ابھی
نیتِ شوقِ عبادت کو کہاں سمجھے ہیں

میں رہ و رسم کہاں ان سے نبھاؤں کہ جو لوگ
راہ کے موڑ کو منزل کا نشاں سمجھے ہیں

ہم سمجھ پائے نہ مٹی سے بدن کا رشتہ
کون کہتا ہے کہ ہم کون و مکاں سمجھے ہیں

واسطہ جن کو نہیں عقل و خرد سے قمبرؔ
وہ مری بات کو بس زورِ بیاں سمجھے ہیں

☆

پھر پسِ آئینہ اک مجمعِ رعنائی ہے
آج خود حسنِ ادا اپنا تماشائی ہے

تیری نس نس میں اناؤں کا بسیرا ہے ابھی
یہ بھی شاید ترا اندازِ مسیحائی ہے

اے مرے چاند کبھی تو بھی اتر آ اس میں
گھر کے آنگن میں تری چاندنی بھر آئی ہے

یاد کر کر کے میں مر جاؤں، الگ بات ہے یہ
نام لینا تیرا، اس عشق کی رسوائی ہے

جو حسیں دیکھا اُسے میں نے خدا مان لیا

دل ہے سودائی مگر تیرا تمنائی ہے

پھر نہ کہنا کہ ترے دوست نہیں ہیں قمبرؔ

سب نے دل رکھا ہے، کی سب نے پذیرائی ہے

☆

هونٹوں کے سارے رنگ ہی مسکان ہوگئے
چہرہ کھلا تو آدمی انسان ہوگئے

چلتے رہے اکیلے تو مشکل تھے مرحلے
کوئی ملا تو راستے آسان ہوگئے

اس دل کو عاشقی کی اذاں جب سنائی دی
جینے کے اور بھی کئی سامان ہوگئے

طاری تھا اک جمود مگر اس کی یاد سے
سوچوں کے سلسلے مرا عنوان ہوگئے

قمبرؔ ہوئی ہیں جب بھی درِ دل پہ دستکیں
اشعار پھیل کر ، مرا دیوان ہوگئے

☆

غم کے قصے کہاں نہیں ہوتے
یوں خفا میری جاں نہیں ہوتے

بس چکے ہیں خلا میں دور کہیں
آدمی اب یہاں نہیں ہوتے

چاہنے والے دور ہوتے ہیں
فاصلے درمیاں نہیں ہوتے

اس کی قسمت میں ہے سفر تنہا
فکر کے کارواں نہیں ہوتے

چاہے مشکل ہو درمیاں کوئی

دوست سے بدگماں نہیں ہوتے

چل کے رہیے وہاں پہ اب قمبرؔ

جس جگہ آسماں نہیں ہوتے

☆

پھر سے مقتل بلائے جاتے ہیں
کس قدر ہم ستائے جاتے ہیں

وہ بلانے پہ بھی نہیں آتے
اور ہم بن بلائے جاتے ہیں

مسئلے بے سبب نہیں بنتے
مسئلے خود بنائے جاتے ہیں

ہم بھی بھوکے ہیں پیار کے شاید
روز دھوکا بھی کھائے جاتے ہیں

یہ بھی اندازِ دل ربائی ہے
زیرِ لب مسکرائے جاتے ہیں

اتنا اچھا نہیں ہوں میں قمبرؔ
آپ کیوں پاس آئے جاتے ہیں

☆

کتنا کھلا دھوکا ہے دیکھو یہ دنیا سنسار
ہارنے والے کو بھی یہاں پر پہناتے ہیں ہار

عقل بھی اندھی ہو جاتی ہے دل بھی خاکستر
کچھ بھی نظر کب آتا ہے جب کھو جائے دل دار

چاہت کے صحراؤں میں تو پاؤں جلتے ہیں
چلنا ہے تو ساتھ چلیں اب دور سمندر پار

تیرا چرچا کون و مکاں میں، میں عاجز مجبور
تیری خدائی لے بیٹھے گا کیا میرا انکار

جو تھے محبت کرنے والے دور ہوئے کچھ اور
میرے ہر اک رستے میں تھی نفرت کی دیوار

قبر میں لیٹا سوچ رہا ہے قمبرؔ کیا یہ بات
پیسہ، دھن، احباب ہوئے ہیں سب کے سب بے کار

☆

ہر سمت مفادات ہیں نفرت کی فضا ہے
انصاف بھی انصاف یہاں مانگ رہا ہے

تفریقِ بشر سے ہوئی دولخت محبت
چھوٹا ہے کوئی شخص کوئی مجھ سے بڑا ہے

خواہش ہی نہیں ہے مجھے کچھ نام و نسب کی
اے دوست میرے پاس ابھی صبر و رضا ہے

دشمن سے بھی میں نے کبھی نفرت نہیں کی ہے
صد شکر کہ دروازۂ دل سب پہ کھلا ہے

قمبرؔ میری نسبت ہے ابھی شیرِ خدا سے
حق کے لیے موجود ہوں نس نس میں وفا ہے

کتاب تو نہیں پر حصۂ کتاب تھا میں
ورق ورق کوئی سوکھا ہوا گلاب تھا میں

جو بات ہو نہ سکی مجھ سے ہوگئی منسوب
جو جرم ہو نہ سکا اس کا ارتکاب تھا میں

رہا ہے ربط فرشتہ صفات لوگوں سے
تمام عمر محبت کا ہم رکاب تھا میں

ملی نہیں مجھے تعبیر کی کوئی صورت
کہ جاگتی ہوئی آنکھوں کا ایک خواب تھا میں

یہ اور بات کہ میں کارواں سے بچھڑا ہوں

خود اپنی ذات میں بھرپور انقلاب تھا میں

زمانہ ڈھونڈتا پھرتا ہے اب جسے قمبرؔ

کتابِ عشق کا کھویا ہوا وہ باب تھا میں

☆

جو ضمیروں کا گلا گھونٹ سلا دیتے ہیں
ان کے حالات انھیں خود ہی سزا دیتے ہیں

ایک دن مار ہی دیں گے مرے حالات مجھے
زہر تھوڑا سا مجھے روز پلا دیتے ہیں

کیسے خودکُش بھلا آقاؤں کا دھندا سمجھیں
خواب جب ان کو سہانے وہ دکھا دیتے ہیں

خود کنارے سے سمندر پہ وہ پتھر ماریں
میری ہر بات پہ طوفان اٹھا دیتے ہیں

دل کی آواز سنو اور جیو مرضی سے
زندگی کا تمھیں یہ گُر بھی سکھا دیتے ہیں

ان کو ہوتا نہیں دنیا میں خسارہ قمبرؔ
درد سہہ کر بھی جو اوروں کو دعا دیتے ہیں

میری سوچوں پہ مرے دل نے ملامت کی ہے
میں نے خود سے بھی کئی بار بغاوت کی ہے

سر جھکایا تو اٹھایا نہیں در سے تیرے
ہم نے مشکل سے مرے یار یہ عادت کی ہے

درد جو تو نے دیا لب پہ نہ آیا وہ کبھی
عمر بھر سچ کو چھپانے کی ریاضت کی ہے

تجھ سے ملنے تری محفل میں چلے آئے تھے
جانتے بوجھتے ہم نے یہ حماقت کی ہے

خدمتِ خلق کو منشور بنایا لیکن
وقت آنے پہ ضمیروں کی تجارت کی ہے

دل جگر سوختہ ہر طاق میں رکھے ہم نے
تیری یادوں کی سرِ شام ہی دعوت کی ہے

کیسے نمٹاؤ گے وحشت کے سبو کو قمبرؔ
ایک ہی گھونٹ نے جب دل کی یہ حالت کی ہے

☆

ہاں وہی لوگ تو کم یاب ہوا کرتے ہیں
ہم جنھیں ملنے کو بے تاب ہوا کرتے ہیں

اپنی مرضی سے کہاں کوئی جدا ہوتا ہے
کچھ نہ کچھ ہجر کے اسباب ہوا کرتے ہیں

کوئی مجبور ، کوئی شخص ہے مختار یہاں
کہیں تعبیر ، کہیں خواب ہوا کرتے ہیں

یاد جب آئی تری ، تب ہمیں محسوس ہوا
دل کے صحرا میں بھی گرداب ہوا کرتے ہیں

ڈولنے لگتے ہو اک گھونٹ میں تم تو قمبرؔ
مَے کشی کے بھی تو آداب ہوا کرتے ہیں

قصۂ گل جو چلا ، خار تلک جا پہنچا
سایۂ گل میری دیوار تلک جا پہنچا

اشک آنکھوں سے امڈ آئے ہیں دریا کی طرح
سلسلہ درد کا اظہار تلک جا پہنچا

تیرے اقرار نہ کرنے میں بھی فن کاری تھی
یہ طریقہ ترے انکار تلک جا پہنچا

بات کہنے کا سلیقہ مجھے آیا جب سے
میرا ہر لفظ ہی تکرار تلک جا پہنچا

پھیلتے پھیلتے ہر بات کہاں تک پہنچی

قافلہ شعروں کا سرکار تلک جا پہنچا

میرے احباب کی قمبرؔ ہے کرم فرمائی

گھر کا قصہ تھا جو اخبار تلک جا پہنچا

☆

سرِ بازار بک پایا نہیں ہوں
میں مشکل میں بھی گھبرایا نہیں ہوں

یہاں سے جاؤں گا مرضی سے کیسے
جہاں مرضی سے میں آیا نہیں ہوں

ملے ہیں روزن و دیوار رو کر
بڑی مدت سے گھر آیا نہیں ہوں

مری نسلیں انھیں پورا کریں گی
جو پورے کام کر پایا نہیں ہوں

ملا اجداد سے جو مجھ کو قمبرؔ
سبق وہ بھولنے والا نہیں ہوں

☆

عشق میں ہوگئے وہ جب بھی گرفتار مرے
کچے دھاگے سے بندھے آئیں گے سرکار مرے

تہمتیں مجھ پہ لگائی ہیں انھی لوگوں نے
جو بنا کرتے تھے دن رات ہی غم خوار مرے

میری پہچان مرا رنگِ صباحت نہ سہی
میں اندھیرا ہوں تعاقب میں ہیں انوار مرے

ان سے رہتی ہے ملاقات مری شام و سحر
مجھ کو پہچانتے ہیں یہ درو دیوار مرے

تم کسی شہر کا بھی نام زباں پر لاؤ
چاہنے والے نکل آئیں گے دوچار مرے

میں نے ڈھونڈے ہیں بہت عیب کسی کے قمبؔر
سالہا سال ہوئے ہیں یوں ہی بے کار مرے

☆

آبلہ پا ہو ، سرِ خار سفر کون کرے
دشت و صحرا کو ہماری طرح گھر کون کرے

میری بستی کا ہر اک شخص ہے مجھ سے نالاں
میرے مرنے کی بھلا ان کو خبر کون کرے

دل لگایا تھا کہ فرقت نے ہمیں آن لیا
خونِ دل ہو چکا اب خونِ جگر کون کرے

ایک عرصے سے صدف پیٹتی ہے سر اپنا
قطرۂ آب کو اب لعل و گہر کون کرے

کارِ درویش کچھ آساں تو نہیں ہے قمبرؔ
زندگی میری طرح خاک بسر کون کرے

☆

مندر نہیں ، گرجا نہیں ، منبر نہیں دیکھا
سر خم نہ کیا، دل کے جو اندر نہیں دیکھا

کہتے ہیں اسے عشق کا جادو کہ رواں ہے
دریا نے کبھی ایسا سمندر نہیں دیکھا

ہم پر ہوئی ہر لحہ قیامت کوئی برپا
تم کہتے ہو ہم نے ابھی محشر نہیں دیکھا

جس گھر میں پڑے تھے کئی یادوں کے زمانے
افسوس نظر بھر کے بھی وہ گھر نہیں دیکھا

تم دیکھ کے قمبرؔ کو جو حیران ہوئے ہو
کیا تم نے کبھی کوئی قلندر نہیں دیکھا

available on : www.amazon.com